中国绘画名品 74

边景昭绘画名品

上海书画出版社

前言

王立翔

中华文化绵延数千年，早已成为整个人类文明的重要组成部分。绘画是其中重要一支，更因其有着独特的表现系统而辉煌于世界艺术之林。在经历了人类早期的童蒙时代之后，中国绘画便沿着自己的基因，开始了自身的发育成长。她找到了自己最佳的表现手段（笔墨丹青）和形式载体（缣帛绢纸），深深植根于博大精深的中华思想文化土壤，在激流勇进的中华文明进程中，不可遏制地伸展自己的躯干，绽放着自己的花蕊，历经迹简意淡、细密精致、焕然求备等各个发展时期，结出了累累硕果。其间名家无数，大师辈出，人物、山水、花鸟形成中国画特有的类别，在各个历史阶段各臻其美，竞相争艳，最终为世人创造了无数穷极造化、万象必尽的艺术珍品。

中国绘画之所以能矫然特出，与其自有的一套技术语言、审美系统和艺术观念密不可分。水墨、重彩、浅绛、工笔、写意、白描等样式，为中国绘画呈现出奇幻多姿、备极生动的大千世界；创制意境、形神兼备、气韵生动的品赏标尺，则为中国绘画提供了一套自然旷达和崇尚体悟的审美参照；迁想妙得、穷理尽性、澄怀味象、融化物我诸艺术观念，则是儒释道思想融合在画中的精神所托。而笔墨则成为中国绘画状物、传情、通神的核心表征，成为有意味的形式，集中体现了中国人对自然、社会及与之相关联的政治、哲学、宗教、道德、文艺等方面的认识。由于士大夫很早参与绘事及其评品鉴藏，使得中国画在其『青春期』即具有了与中国文化相辅相成的成熟的理论思想，文人对绘画品格的要求和创作怡情畅神之标榜，都对后人产生了重要影响，进而导致了『文人画』的出现。

因此，中国绘画其自身不仅具有高超的艺术价值，同时也蕴含着深厚的思想内涵和丰富的历史文化信息。由此，其历经坎坷遗存至今的作品，显得愈加珍贵，理应在创造当今新文化的过程中得到珍视和借鉴。上海书画出版社曾费时五年出齐了《中国碑帖名品》丛帖百种，获得读者极大欢迎。为了让读者完整关照同体渊源的中国书画艺术，我们决心以相同规模，出版《中国绘画名品》，以呈现中国绘画（主要是魏晋以降卷轴画）的辉煌成就。我们将以历代名家名作为对象，在汇聚本社资源和经验的基础上，以艺术史的研究视野，引入多学科成果，以全新的方式赏读名作，解析技法，探寻历史文化信息，体悟画家创作情怀，追踪画作命运，引领读者由宏观探向微观，进入到这些名作的生命历程中。

我们将充分利用现代电脑编辑和印刷技术，发挥纸质图书自如展读欣赏的优势，对照原作精心校核色彩，力求印品几同真迹；同时以首尾完整、高清图像、局部放大、细节展示等方式，全信息展现画作的神采。希望我们的尝试，有益于读者临摹与欣赏，更容易地获得学习的门径。

千载寂寥，披图可见。有学者认为，中华民族更善于纵情直观的形象思维，历代文学艺术，尤其是绘画，似乎用其瑰丽的成就证明了这一点。我们希望通过精心的编撰、系统的出版工作，能为继承和弘扬祖国的绘画艺术，起到绵薄的推进作用，以无愧祖宗留给我们的伟大遗产。

二〇一七年七月盛夏

导言

明代初期出现了宫廷院体绘画、文人画和浙派绘画三大绘画体系。其中，明代宫廷花鸟画成就尤为引人注目。明代画院建立于永乐年间，效仿宋代画院体制，以精致典雅的写实画风为基石，出现了『院体』画法与水墨画法相结合的新风潮，边景昭便是这股风潮中极具代表性的一位画家，他直接师法南宋『院体』工笔重彩的传统，画风工整妍丽，笔法细腻，设色秾丽，在题材、立意、构图、笔墨、格调等方面都带有浓厚的宫廷气息，开创了明代『院体』花鸟画新风，不仅享有『当代边鸾』的美誉，更与赵士濂的虎、蒋子成的人物并称为『禁中三绝』。

边景昭，字文进，原籍陇西，籍贯洛阳，自小跟随父亲生活在沙县。明永乐年间，被召至京师担任宫廷画师，授武英殿待诏，其在画院任职时还曾担任锦衣卫、清华阁画史等官职，直到宣德初仍供事内殿，宣德元年因为受贿举荐陆悦、刘圭而被罢黜为民。

明代宫廷画院的画师主要通过皇帝下旨征召、官员举荐、公开选拔和承袭父职而获得任职。对于边景昭如何进入宫廷画院，并没有详细的史料记载，但可能是受到其同乡士大夫的推荐。明代宫廷画院主要创作机构有仁智殿、武英殿和文华殿，边景昭于永乐年间进入宫廷画院，担任武英殿待诏，除了进行绘画创作之外还负责皇室绘画收藏的鉴定工作，同时陪伴宣德皇帝朱瞻基作画，朱瞻基的很多绘画作品便模仿边景昭的画风，如《壶中富贵图》《子母鸡图》等，画风细腻而清雅，蕴含富贵吉祥之意。

明代宫廷画师在文人士大夫眼中的地位相比于前代画院完全不同，边景昭个性闲放，喜交游，为人豁达，博学能诗，在明代文人中享有很大的名声，他与江西的解缙、胡广、周孟简、浙江永嘉的黄淮及福建老乡高棅、郑定、杨荣等人都有不错的交情。在与文人交游的同时，他也将文人的绘画理论运用到自己的绘画创作中。解缙《送边文进归闽》诗云：『当代边鸾最得名，几回待诏话西清。春风作伴归乡郡，若见房山为寄声。』其中将边景昭比作唐代边鸾，可见解缙对边景昭艺术造诣的赞叹。

边景昭花鸟画艺术造诣极高，其艺术风格主要有以下几个方面：其一继承宋代花鸟画传统并融入明代贵族平民化的审美特征，技法上主要师法李安忠和黄筌、黄居寀父子，画风工整细腻而多了一份沉厚之感。在绘画题材上，多描绘松、竹、梅、仙鹤、喜鹊等贴近生活并具有吉祥寓意的主题。其二，边景昭博学能诗，具有深厚的文学修养，文人花鸟画『笔简形具，得之自然』的主张在其作品中多有体现，结合自身特点自成一格。其三，其所作全景花鸟，在尺幅与构图上加以突破，给人以恢弘的气势和强大的冲击力。其作品题材在反映儒家思想和宣传政教功能的基础上更具寓意性和象征性，在构图中借鉴了山水近景、中景和远景的构图方式，使得画面更有层次。在技法上既学习了宋人的双勾填彩法，又融合了元人的水墨晕染，笔墨清雅精致，色彩雅致而妍丽。

本册选取边景昭的《三友百禽图》《竹鹤图》《三友四喜图》等作品。《三友百禽图》在永乐年间完成，描绘了初冬时节，百禽嬉戏于松、竹、梅之间，一派生机勃勃之景，图中百鸟姿态各异，刻画细致入微，画风工整精细。《竹鹤图》描绘了双鹤漫步于竹林之景，技法上师承宋人的双勾填彩法，同时继承五代、两宋院体绘画的富贵之气，带有浓厚的宫廷绘画意味。

边景昭 绘画名品

边景昭《三友百禽图》，绢本设色，纵一五二・二厘米，横七八・一厘米，台北故宫博物院藏。《三友百禽图》中的『三友』为『岁寒三友』，画中绘有松、梅、竹以及众多飞禽。画面左侧松、竹、梅交错伸展，寓意君子之美德，画面下部绘有土坡、湖石，各种鸟类飞动其间，寓意百官来朝，具有象征祥瑞或祈福的寓意。百禽姿态各异，或静或动，或顾或盼，或梳理羽毛，或寻觅食物，热闹之极，展现了初冬时节，百禽嬉戏于松、竹、梅之间的生机勃勃之景。

技法　双勾填彩法

此图在用笔上继承了南宋画院传统，更上溯黄筌绘画技法，采用『双勾填彩法』，在对松、竹、梅枝叶的描绘上，边景昭先用铁线描勾勒枝叶的轮廓，再以淡墨多次渲染，设色上相比黄筌花鸟画则更为厚重，相比南宋花鸟画则更为细致典雅。湖石师承马远、夏圭风格，以粗笔浓墨勾勒，大斧劈皴擦，并用淡墨渲染出层次。在布局方面，着重表现空间感，画面由前往后一层层叠加。虽然画面内容繁多，却形成一种内在秩序，并不显得凌乱，展现了画家深厚的艺术功底。

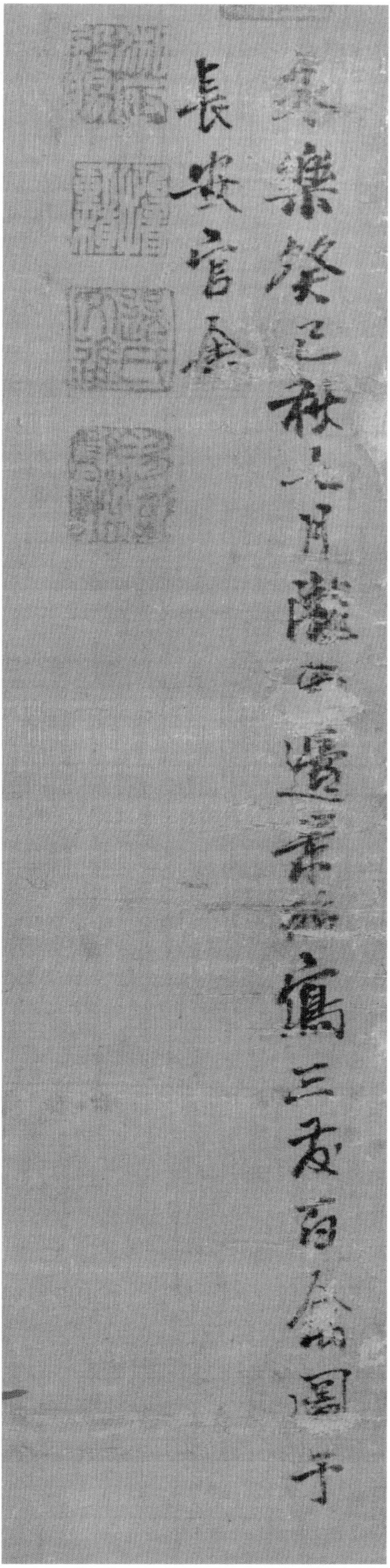

边景昭款识

探微 边景昭款识

图上有边景昭款识：『永乐癸巳秋七月陇西边景昭写三友百禽图于长安官舍。』钤『湘府殿赐』『怡情动植』『边氏文进』『多识于草木鸟兽』四印。长安是古人对京城的称呼，明代永乐年间的京城在南京，所以此处的长安便指南京，官舍指的是皇宫内的官舍。

南宋 李迪《雪树寒禽图》

延展 全景花鸟

全景花鸟的概念是相对于折枝花鸟而言的，指的是在花鸟画作品中，以花鸟鱼虫、飞禽走兽为画面的主体内容，并将其置于山林湖泊、花草树木之间，以构建出场景开阔、生机盎然的花鸟世界，画面中既有山水画的雄浑壮美、意境清幽，同时也有花鸟画的细腻与柔美，于博大中见细微。如南宋李迪《雪树寒禽图》便是一幅典型的院体全景花鸟，边景昭效法南宋院体画风，构图上也多采用这种全景式的布局。

五代 黄筌《写生珍禽图》

延展 黄筌《写生珍禽图》

黄筌《写生珍禽图》，绢本设色，纵四一·五厘米，横七〇·八厘米，故宫博物院藏。图上有『付子居宝习』五字隶书款。画中绘有山雀、蝉、天牛、蚱蜢、蟋蟀、麻雀、蝗虫、胡蜂、龟、蜜蜂、白头翁、鹡鸰、北红尾鸲等鸟类十只、昆虫十二只，乌龟两只。鸟类或静立，或展翅滑翔，或低头觅食，昆虫大小形态各异，乌龟缓步爬行，展现了精湛的造型能力及笔墨技巧。黄筌采用细笔勾勒，再赋色加以渲染，造型严谨，强调对真实感的描绘，注重物象质感，鸟的羽毛、昆虫的甲壳都描绘得细腻准确，动物神态刻画深入，惟妙惟肖，栩栩如生。画中二十四只动物均匀分布，之间并无联系，可能是为创作收集的素材，供其子黄居宝临摹学习。从这幅画中可以看出黄筌对自然的细致观察及扎实的写生功底。

延展 黄家富贵

边景昭的绘画风格师承五代蜀地的黄筌、黄居寀父子。这一画派的特点在于造型准确生动，设色富丽典雅，有『黄家富贵』之称。『黄家富贵』这一风格的形成与当时的社会政治、经济、文化及统治者的喜好有密切联系。为了追求对自然的真实摹写，黄筌在家中饲养鸟雀，每日观察，认真揣摩，将花之雍容、鸟之灵动刻画得细致入微。题材上多取奇花异草、珍禽异兽以满足皇室的趣味与喜好，故所画花鸟多具有富贵吉祥的寓意。

黄筌，字要叔，五代时西蜀画院的宫廷画家，成都人，历仕前蜀、后蜀，任检校户部尚书兼御史大夫，主管皇家画院，他擅长山水、人物、花鸟，尤以花鸟最为著名，与江南徐熙并称『徐黄』，时称『黄家富贵，徐熙野逸』。《宣和画谱》记其花鸟作品三四九件，流传至今仅有《写生珍禽图》。

巳秋八月隴西邊景昭寫三友百禽圖于

樂癸巳秋八月隴西邊景昭寫三友百禽圖于
長安官舍

明 边景昭《三友四喜图》

延展 边景昭《三友四喜图》

边景昭《三友四喜图》，绢本设色，纵一五二·一厘米，横九五·三厘米，美国克利夫兰艺术博物馆藏。图上无款识，画中绘有松、竹、梅岁寒三友、四只黑喜鹊和许多麻雀，此外还有四只别的鸟雀，故有着『四喜临门』『百爵加身』之意。此图的构图样式和《三友百禽图》相同，画面左侧三根修竹拔地而起，枝叶繁茂；在翠竹前面，梅枝伸展而出，枝头的梅花皎洁；在翠竹之后，松柏掩映其中，若隐若现；数百只禽鸟或飞翔，或驻足其间，展现了其高超的造型能力。

延展 边景昭《春花三喜图》

边景昭《春花三喜图》，绢本设色，纵一六五·二厘米，横九八·三厘米，台北故宫博物院藏。此幅构图为边景昭常见的构图样式，画面布局极具匠心。画中左下角绘有坡石，后有几棵新竹拔地而起，枝叶繁茂，间有杜鹃花团团怒放。两只喜鹊嬉戏玩闹，互相以爪控其喙，上有一只喜鹊立于枝头俯身鸣叫。树石禽鸟互相呼应，生动和谐。继承南宋院体双勾填彩画法，竹叶以淡墨和汁绿打底，石绿罩染；坡石师法王蒙，采用卷云皴法，用墨浑厚；杜鹃以胭脂打底，朱砂罩染；禽鸟勾勒精细入微、喜鹊羽毛青翠与杜鹃红绿相应，色彩艳丽明快，展现了山林一隅生机勃勃、春意盎然之景。

明 边景昭《春花三喜图》

周昉《簪花仕女图》中的鹤

边景昭《竹鹤图》，绢本设色，纵一八〇・四厘米，横一一八・〇厘米，故宫博物院藏。这是一幅具有吉祥瑞寿寓意的画作，仙鹤常被称为仙禽，体态优美，步履蹒跹，寓意着长寿。图中绘两只仙鹤漫步于修竹之中，一只曲颈低首，似在寻觅食物，一只蜷缩右足，转项回首梳理白羽，三根洁白的羽毛飘落在地。双鹤神态安详、悠然自得。画中三根翠竹耸立其间，枝叶舒展，远处坡岸若隐若现，似笼罩在烟霭之中，呈现出祥和高古的意境。

延展　边景昭的仙鹤题材

自古以来，仙鹤被人们誉为仙禽，具有鹤寿千年、一品当朝等寓意，因此这一题材被众多画家所喜爱。以仙鹤为题材的绘画作品最早可以追溯到帛画《人物御龙图》中龙尾处所立的仙鹤图像，为后世开启画鹤的先河，之后唐代薛稷、北宋赵佶等皆为画鹤高手。周昉《簪花仕女图》中也绘有一鹤。边景昭非常喜爱画鹤，存世有《百鹤图》《雪梅双鹤图》《松鹤图》《竹鹤图》等工笔重彩作品，也有与文人画家王绂合作而呈现文人气息的《竹鹤双清图》。

技法 仙鹤画法

从技法上而言，白鹤的羽毛，边景昭用宋人积粉法描绘，先用白粉从羽端进行分染，再用厚重的白粉勾出羽枝和羽轴，鹤首用朱砂进行分染，鹤颈在分染的基础上用浓墨画出绒毛，腿部以淡墨分染，再用浓墨描绘腿上的细节。

技法 设色

在色彩的运用上，仙鹤纯白色的羽毛与黑颈、黑色的尾羽及背景形成强烈的黑白灰对比，显得层次分明，使画面有一种空间感。两只仙鹤虽朝向一致，但在造型上各不相同，一曲颈，一探首，互相之间有着内在一致的韵律感。边景昭在对仙鹤自然形态的描绘上，加以适当的变形与夸张，他有意缩小仙鹤的头部，拉长颈部和腿部，在视觉上使主体造型更为修长优美。

明 边景昭《枯枝寒雀图》

延展 边景昭《枯枝寒雀图》

边景昭《枯枝寒雀图》，纵二四·三厘米，横二一·〇厘米。画面左上角题跋：『□殿待诏陇西边景昭图。』钤『边氏』半印，一方不辨。图中绘有一株桠杈的古树，枝上有一寒雀双目紧闭。古树与寒雀用笔潇洒，枝干变化丰富、虚实结合。边景昭在处理寒雀羽毛时用笔较粗，寒雀的羽翅多用赭石加墨点染而出，飞羽和尾羽多一笔而成。边景昭作品多有院体花鸟画风格，相较而言，《枯枝寒雀图》用笔更显粗犷，一方面表现了他对禽鸟、植物的细致观察，另一方面是其笔墨挥洒自如、信手拈来的有力体现。

明 边景昭《分哺图》

图书在版编目(CIP)数据

边景昭绘画名品 / 上海书画出版社编. –
上海 : 上海书画出版社, 2021
（中国绘画名品）
ISBN 978-7-5479-2545-4
Ⅰ. ①边… Ⅱ. ①上… Ⅲ. ①花鸟画 – 作品集 – 中国
– 明代 Ⅳ. ①J222.48
中国版本图书馆CIP数据核字(2021)第027551号

边景昭绘画名品

上海书画出版社 编

责任编辑 苏 醒
审 读 陈家红
装帧设计 赵 瑾
技术编辑 包赛明

出版发行 上海世纪出版集团
上海书画出版社
地址 上海市延安西路593号 200050
网址 www.ewen.co
www.shshuhua.com
E-mail shcpph@163.com
制版印刷 上海雅昌艺术印刷有限公司
经销 各地新华书店
开本 635×965 1/8
印张 6.5
版次 2021年2月第1版
2021年2月第1次印刷
印数 0,001–2,300

书号 **ISBN 978-7-5479-2545-4**
定价 **56.00元**